Maaike Schoorel

Album

Birthday
Oil on canvas
111.5 × 91 cm
2004
Collection M.J. van Laake,
Amsterdam
Photography Edo Kuipers
Courtesy Galerie Diana Stigter,
Amsterdam

Cruise
Oil on canvas
121 × 172 cm
2004
Saatchi Collection, London
Photography Edo Kuipers
Courtesy Galerie Diana Stigter,
Amsterdam

*Still Life with Water and
Wine Glass*
Oil on canvas
61 × 50.5 cm
2005
Collection Ealan & Melinda
Wingate, New York
Photography Peter White
Courtesy Maureen Paley, London

Jade
Oil on canvas
163 × 129 cm
2004
Carlos & Rosa de la Cruz
Collection, Key Biscayne
Photography Peter White
Courtesy Maureen Paley, London

The Family
Oil on canvas
183 × 274 cm
2004
Private collection
Photography Peter White
Courtesy Galerie Diana Stigter,
Amsterdam

*Bride, Groom and Children on
the Stairs*
Oil on canvas
197 × 142 cm
2006
Private collection
Photography Peter White
Courtesy Marc Foxx Gallery,
Los Angeles

Maaike Schoorel in conversation with Xander Karskens

Haarlem, June 2008

XK   Painters tend to adopt a 'traditional' studio practice – solitary, isolated, often within a relatively slow process. How do you work?

MS   With most paintings I make various preparations before I get down to the 'real job of painting'. Once I've decided which image I aim to use, I prepare the canvases in a specific manner. The white *gesso* I use to prepare the canvases is never entirely white; it always has a specific hue. Considering I show a lot of the ground itself in the paintings, this hue is very important to the eventual image. In order to determine the right hue for the ground layer, it's important that the colour is present, but does not compete for attention with the oil paint of the scene I'm painting on the canvas. At first glance, the paintings may seem 'white', or you may experience them as extremely light. In this apparent void or lightness, you will gradually discover (by standing in front of the paintings for a while) more and more forms and colour and, as a result, depth. The ground colour, which originally seems 'white', gradually reveals itself to be a warm yellow or orange hue, or a cooler green or blue.

        Until recently I always worked from photographs. I use measurements to transpose the image from the photograph to the canvas. I don't use a grid or a projection, like a lot of painters do, but use the measurements of specific points on a picture, which I subsequently translate to the painting's surface. Because it doesn't have the precise proportions of a grid, you can see a moment developing when the painting itself starts playing its role – an unpredictability comes into play. These coordinates are reference points that you can use as the basis for painting: the top of a shoulder, or an eye. The rest of the picture flows from these elements, with the interrelation of vacant spaces and paint and colour and texture ultimately forming the key focal point.

        To come back to your question: every artist creates a 'safe' environment in his or her studio. It's a tremendous chaos in mine right now. I'm in a transitional phase and this is what I need. In my perception it gives me a lot of benefits – I don't believe you need a clear mind in order to make art. A degree of messiness can be part of the process.

XK   How do your images develop? Some artists think up their images, others base themselves on existing images. You make photographs, which you use as a starting point, but you also use 'found' pictures.

MS   I've made extensive use of photographs – both found pictures and ones I made myself. Only recently I started experimenting with developing paintings without using any kind of photographs as a source. I presently work with images from my memory or dreams, and I have all sorts of objects (found and made) in my studio that serve as a basis for my work.
    For the paintings made between 2001 and 2006, I was always looking for photographs – in my own (or other people's) photo albums, for instance. In the case of *The Cyclists*, I based the work on a picture from my brother's childhood: it's an image of his class during a school bike outing. I'm interested in connections – both within the painting between the different forms and colours, between presence and absence – and connections established between the painting and the original image and archetypal categories. When I saw the original photograph for *The Cyclists*, I immediately had an association with the classic image of knights on horseback, or a *schuttersstuk* (militia group portrait). These photographs unfurl the collective memory, in different ways. Everyone is familiar with the image of the school class on a bike holiday, but everyone is also familiar with the 17th-century Dutch *schuttersstukken*, which more or less form the blueprint for such a contemporary staging. These militia portraits are already present in the photograph; they are implied in such images. That's what I find interesting – when a historic concept from our collective memory shines through in an object that is so very mundane – in this case a picture of a bike trip.

XK   One can see a development in your work – at a certain point, for example, you moved from using found images to making your own pictures. For the series of nudes you photographed the models yourself.

MS   I advertised on the Internet, and that's how I found the nude models. I wanted to paint the models in their own environment and so I went to their homes, where I made pictures of them.
    Earlier on I had considered painting a nude model in a figure painting class, but that wasn't what I wanted: the model's pose and context were too clichéd. I very much wanted to do something with this classic genre, but

like the other genres that I work with I needed to feel a personal connection with the subject. The process of seeking out the right models and visiting them in their homes was therefore important. Furthermore, I definitely wanted to paint them in their own environment, because I believe this leads to a greater sense of intimacy – the familiarity that you feel with your environment is reflected in your behaviour, your outward image. The same can be found in the objects in these paintings, which have a relation with the subjects. They aren't mutually interchangeable, but rather belong together.

XK   Now you've even let go of the photographic image altogether.

MS   Everything goes topsy-turvy, once you stop using photographs as a base for your work. Suddenly you're confronted with a kind of total freedom. Because I'm painting dreams at the moment, for instance, I've noticed that it's actually a study of what is constituted by 'reality'. What do you wish to bring to the fore in a painting; what is important; why do you make certain choices? Often, art actually stems from a narrowing – not from an 'open mind' or anything like that. I get totally focused when I concern myself with the same thing for a very long period, up until the point where I really get bored with something. Picasso once said: "I don't search, I find." It may be a cliché, but I like the intentions that this expresses.

XK   Can you tell me something about your relation to 'sound' – because of its ethereal scenes and the light palette, your work is often brought in connection with muted sound, with whispering. You are also active as a singer in the band Skill 7 Stamina 12. Is there a link between the way in which you think about music and how you use your voice on the Skill 7 Stamina 12 tracks?

MS   My paintings have a very emphatic relationship with sound. For me, the idea that you perceive sound at different speeds when you listen to music is a very important analogy – the colours within a painting also come at you at different speeds.
         In pop music, for example, you often hear the voice first, above the rest of the instruments. Making music or my paintings, I play around with the chronological order of hearing or seeing things. How do we view

16

things? What do you see when you look at an image of a decanter? Is the image formed by light or colour? And what determines this hierarchy?

I use colour and texture to shift accents within an image. For example, a red berry in a bouquet of flowers can be the first thing that catches your attention in a still life, instead of the sparkling crystal vase standing next to it. When I'm working, at a certain point the painting itself indicates how the image is to be formed. As a result, a couple of trees in the background could well be represented by a few daubs of turquoise, rather than realistically painting the 'green' leaves. It's not just fragile details that get highlighted in the paintings – often there is a physical presence of large washes of heavily diluted paint I pour over parts of the canvas.

In Skill 7 Stamina 12, I sometimes sing very high or, on the contrary, very low, and occasionally so quick that it sounds just like a speeded-up tape recorder. You can perceive the lyrics I sing as a 'sound' of high and low octaves. Sometimes you can clearly make out a word or sentence in Dutch or English that you can recognise. The lyrics are both sung and spoken and are based on texts that I have found or composed myself. I use the lyrics to the old-fashioned, politically charged Dutch song *Zeven Vlooien*, for instance, or I improvise a text during a recording session or a performance based on a dream or a conversation with a friend that I've recorded. Lately I've also been using a Microkorg, a synthesiser that you can use to distort the sound of your voice. In structural terms, the band can be compared to a jazz band – because all instruments have 'equal' roles. Sometimes I don't sing for a while and you can hear the drummer very clearly, for example. The way in which sounds interact within music, as well as the space and empty spaces that create depth and dynamism in between these sounds, form handy methods for me to think about painting.

XK   How do you relate to other painters who 'veil' their scenes, or in whose work the possibility or impossibility of representation plays a central role – like Gerhard Richter or Luc Tuymans, for example? Photography is essential to their work: their painting not only uses the photographic image, but at the same time responds to that medium's failure.

Their work is also characterised by a 'photographic effect'. In your case, there is the association with the appearance of a Polaroid image, or contrastingly the disappearance of the image on a yellowed photograph.

MS   I have used photography as a tool for making the paintings. As a kind of mnemonic device, in order to be able to retrieve certain details or aspects from an image. The paintings don't serve as a metaphor for photography. This would suggest that the paintings are something of a 'trick' – the pictorial translation of an effect from photography, in which the works balance precisely on the right (or wrong) border of visibility and invisibility – and that the success of the work depends on this. With Richter too, there's a lot more going on than just the fabrication of a 'blurry picture'. A successful Richter is more than that: the scene opens up and everything starts moving – beyond the formal movement of the 'blurry' photograph. With 'movement' I primarily mean the interrelation of surface, colour and space, in a traditional painterly sense. For me, photographs have a different importance than for Tuymans or Richter, I suspect. In their painting, they exploit the different viewing mode that is produced by photography. As group portraits, the pictures that I work with like a bike trip or family portrait can be just as loaded with meaning as Tuymans' images of the Belgian colonial past in the Congo or the Baader-Meinhof imagery used by Richter for a series of works. I prefer to work with scenes from daily life that refer to an archetypal image. What I primarily have in common with Richter and Tuymans is an interest in the relationship between photographic represen-tation and memory, and how memory deals with photographic images – how it erodes them, slowly changes them and occasionally even replaces them.

XK   How does this work out at the formal level of the painting itself?

MS   In my work, I explicitly focus on specific details of an archetypal im-age (or instead relegate them more to the background or leave pieces out), unsettling the balance of the viewing hierarchy. By viewing hierarchy I mean the way a cartoonist would depict a wine glass: first the glass itself is outlined, then the level of the wine in the glass and finally the reflection of light on the glass. In my work, I play with this hierarchy, by placing emphasis on a curve in the wine glass – in order to really deal with that specific glass. This process is gradually built up using multiple layers of paint, often with lots and lots of white spirit. In the case of some details, such as in my recent nudes, I use epoxy resin to make them thicker. This increases the differences in texture within the painting. In a painting of a nude model on her bed, for instance, the pattern and colour of the eiderdown is more striking than the model herself. Besides looking at the old masters a lot – people like Vermeer – my work is often informed by abstract art – at first glance my paintings often merely consist of coloured fields and contours on an apparently empty canvas. What sets a painting into motion? Allows it to form an image? An image gradually develops out of the different spots. Furthermore, a lot of paintings have a more or less direct relationship with reality via their dimensions: to further emphasise the experience of being virtually in the room with the models, or standing on the beach of Parnassia.

XK   How does your work relate to the 'slow' work of artists like De Rijke/ De Rooij? While they use a different medium (film), your paintings have an emphatic temporal component, an 'existence in time'. Like the films of De Rijke/De Rooij, these paintings force the viewer to look carefully. During his studies in art school, Job Koelewijn once blindfolded himself for days on end ('visual fasting', he called it), to subsequently experience a heightened intensity in his perception: 'looking anew'. Should your treatment of visual reduction and slowness be placed in this tradition, one that one might call typically Dutch?

MS   This slowness is a key aspect of my work – the slowing down of the gaze and the intensification of perception. As I can also see happening in the work of De Rijke/De Rooij, my paintings don't focus on a reductionist strategy *per se*, but on emphasising those nuances that can be observed, with the passage of time as the dominant factor within which the viewing process slowly unfurls. As a result, you start to see the emphasis shifting to the *experience* of viewing the paintings. You can only really perceive the work if you stand in front of it – this is rather complicated in the case of reproductions. Over the past few years, I have been interested in finding out how difficult it is to reproduce the paintings – in reproductions, you often literally only see a few 'spots' and virtually nothing of what actually activates the work. In my view, the consequence of this has been emphasis on the direct physical perception taking place between the viewer and the painting. In this publication, I consider the text and other visual material that contributes to the production of the paintings as an essential component of the presentation of this work in book form. An artist like Tino Sehgal also concentrates on the experience of a work of art. The performances that he allows to be carried out by children can't be recorded or reproduced, they can only be described.

XK   In a continuation of the previous question: I get the idea that your work takes up a radical position within contemporary visual culture. That it throws a spanner in the works of the imagery machine, by taking 'slow viewing' as its central premise, in response to all the fast, diluted images that we presently consume.

MS   Personally I have always found this positioning rather problematic. I definitely do not intend my work to function as a kind of cure against the dulling of the senses. The paintings do not carry this kind of a moral statement in them. Of course, I am aware of the present developments in the possibilities for producing and reproducing imagery, and of the acceleration created by digital technology and the Internet. Naturally, my generation has had to adapt to this situation. Thanks in particular to the tremendously increased accessibility and omnipresence of visual information, one sees that an artist's options for relating to the world have expanded considerably, and this is something that I consider a positive development. I'm not attempting to reverse this development, or find a solution for it (even if I wanted to, I wouldn't be able to!) or frustrate it. But I do try to create a space for a break – an interruption; consideration; reflection. By using recognisable everyday images, I hope to grab the viewer's attention, invite him or her to study the unusual way in which I employ paint. So that the focus won't be so much on for instance the depiction of a bed, but on the experience of seeing a bed.

XK   Over the years, you've started to pay attention to different aspects, or at least started elaborating the source images differently: comparing group portraits like *The Family* and *The Cyclists*, for example, one sees far more detailed faces in the former work – in *The Cyclists*, only the outlines are shown.

MS   This has a lot to do with the fact that I am able to work in an increasingly 'loose' way. In my earlier work, the idea that the painting must resemble the source photograph as closely as possible is far more dominant than in recent work. In this work, I've focused more and more on dissolving the original photographic image in the painting itself. You can think 'I have to paint two eyes, otherwise it won't be right', but I'm not really interested in that: as long as there is the suggestion of that second eye. The emphasis should be on the texture and colour differences that determine the final image.

In the more recent works – like the nude series, for instance – I've started applying more different image layers – even in the shadows or near-empty spaces. I've also started to literally apply more texture by mixing epoxy with the paint, although some recent paintings actually appear to be more reduced. Viewing the paintings, it's less easy to grasp the scene's obvious focal points (like the two eyes, which immediately make a face a face and draw you into the painting). In these works, these anchoring points are formed, for example, by the rounding of a hip or a colour in the background. I'm not particularly interested in the level of legibility in this context. The idea that a scene 'works' when it is recognisable as the precise image that I worked from, is less relevant. The work invites the viewer to finish the painting in his or her mind's eye. With all the contingencies involved in a viewing process, this process will be slightly different for each individual viewer. Hopefully, the viewer will not only establish a connection with a specific image or picture, but also with the feeling encapsulated within the image.

Structure of an Archetype
Maxine Kopsa

It was 12 o'clock last Sunday and I was still in bed, laptop on lap and second coffee along and I found myself writing to Jesse Portmann – who I haven't seen or spoken to in at least eight years – instead of writing about Maaike Schoorel's paintings. I was asking him about the band he introduced me to ages ago. I must have listened to the cassette he gave me every morning and evening. I played it for friends, anytime anyone would come over. I remember I could sing along to all twelve songs and everyone loved it because it sounded silky and deep and cool and bluesy. I can almost hear the first song…if I don't concentrate on it…and I can nearly grasp the name of the band…if I don't look at it straight in the face… 'groove', 'tune', maybe 'brother', 'two brothers'?…faintly, and then it slips away again.

I first met Jesse through David when David and Jesse were touring Europe and I had already moved there. I knew of him – he was also friends with other good friends, with Gwyn specifically, who only had great friends. So we were acquaintances of sorts, connected through snippets of information regarding mutual friends and descriptions of evening get-togethers. He was like a memory before we'd even met. Naturally I said yes when David asked if they could stay with me on their summer trip. I'd show them around a city I barely knew, I promised. I think I was wearing my faded blue jeans when I went to pick them up, far too light, and I know it was warm but not sunny. I can see my feet walking along the pavement towards them, the leather strips of my blue woven sandals, and I still see their two figures, too big for Europe somehow, too chiselled. I know I threw an arm around Dave's neck. And then turned to Jesse. Whose smile I see. And whose arm I feel all of a sudden around my lower back as he pulls me close, almost jerks me close to give me a kiss on the cheek. I pull away and he's looking at me and hasn't let go. As though we're alone or in a bar and we've been chatting and smiling and winking and skipping around each other for hours. I can't see Dave anymore out of the corner of my eye, where he should be, but I can hear him say 'so where do we go?' in a tone of voice unaware of any moment passing between his friend and myself. In fact I don't see anything anymore except for Jesse's twinkling, devilish smile and his nose and his brown eyes and his stubble. And all at once it's as though I'm as jet lagged as they are, my perceptions narrowed, sleepy, warm, kind of there, landed but foreign.

23

So I apologise for this digression, now as then. I was seized and transported and I swear every time I closed my eyes and tried to think about painting and whiteness and the show I kept seeing bits and pieces of that summer. A mix of the absolutely specific and of fragments. But not the unnecessary middle chunk.

Maybe that's why my mind kept going back to Jesse while trying to write – something about fragments and skipping over redundant matter. Maaike Schoorel's paintings do this, I think – describe this kind of movement through a scene. Often life-sized, imposing, they latch onto parts, contours, angles, a knee and – importantly – the empty space in between. What you can't make out, what appears at first white, is the space of conductivity where objects, those parts of a recollection that are in colour, float. Is a glass composed of the colour of the wine it holds or of the light that reflects off its surface?

I had talked to Maaike about the paintings she was planning to show and the ones she was still working on for the exhibition and she mentioned 'structure'. That a painting reveals how one sees, observes or visits a situation, not through the depiction of separate entities (even people), but through a structure that invisibly connects them. It's this 'structure' that makes them what they are, she said. 'You have to think about how a head is different from a sweater – what makes one entity a head and the other a sweater?' Evidently we are speaking here of representation, of how a form becomes what it is meant to represent on a canvas. But crucially we are also talking about perception, about how in reality you see the things around you and, pictorially, how a form comes at you from a canvas. For example, she explains how his sweater is made up of three lines demarcating his bent arm while her head is suggested through the wave of her brown hair. 'But if you see a sweater another way than I do, or visualize hair through a different sway, then we might be looking at two different scenes.' Take *The Cyclists*, a group portrait of people stopped in a wooded area on a day out. They stand, posed with their bicycles in a semi-circle. 'I can tell you this,' Maaike said, 'I can tell you exactly who is who and what they are wearing, but it's not about how many people you see, or how many you can make out, it's about the connections between them.' The 'structure' in this sense, or what makes a thing a thing, a situation a situation, is for Schoorel a more fully-fledged, more complete level of depiction. I don't know if I could add the 'truer' here (as in a truer level of depiction) but maybe 'capture' is a better word than 'depict'. It's a 'capturing' of a thing, person, a situation through its concrete and symbolic form. For without a doubt, more than any straightforward naturalism, Schoorel's representation, her 'capturing', concerns emotion.

I read that Schoorel's work could be seen as 'opposed to a world of noise, excess, stimuli'[1], somewhere else that it seems to 'whisper gently', and in yet another article that its 'sensitivity' discloses a 'delicacy' of touch. I can see that, I can see that her work, despite its arresting physicality, appears slight and delicate and gentle quite simply because so many of the works are more white than not and hold seemingly few details. They come across as quiet, even slow. And it's true, in a way the paintings are quite slow, and many other similar descriptive terms could be applied (like delicate and sensitive and 'bleached out') but to only appreciate the work as such misses the work's most vital premise, namely that of the archetype. In all her works so far, Schoorel has dealt with the formation of archetypes, whether by way of a revisiting or by way of a reformulation.

The regulations or conventions of social interaction are by and large taught to us by what we see, what we experience, and thus become archetypes. We know what 'party', 'wine' and 'daughter' look like because we've seen them, repeatedly. More specifically in terms of art history, we know what 'still life', 'portrait' and 'nude' entail because they're often re-examined. Schoorel's works 'cover' such traditional social conventions and painterly genres. By explicitly referring to these categories she questions the archetype and at the same time critically positions herself within an established historical framework of painting.

But not only does her explicit allusion to the archetype allow her to determine her own standpoint, it also generously invites the viewer to do the same. Schoorel uses these categories of visual knowledge to take the viewer by the hand and lead him to what he knows. At the last minute however she pulls away, erasing the unnecessary chunks, leaving only the bits and fragments, so that the viewer, on his own, can be left to resolve his relationship to these archetypes. What does a birthday mean to you (*Birthday*, 2004)? Or a wedding (*The Wedding (still life)*, 2005)? What does

1   Martin Herbert, *Frieze*, N°116, June/July/August 2008

a portrait of someone called Ada and her daughters denote for you? It won't remain consistent, whatever your response may be. When you encounter this work you might see more at certain times than others; you might be reminded of your friends, your bicycle trip, a dinner party. Or you will consider the genre of portraiture in general and wonder if your family is the kind of family who would like one like Ada's.

Taking this premise of archetype to its logical endpoint, we could say that Schoorel's work concerns the codification of relationships – relationships between people and between people and things – suggesting that life consists mainly and perhaps only of these relationships and our perception of them. But these relationships are never perfectly defined, and if they are, it is only momentarily so. I still don't recall the name of the band and if I did I might not be any happier – what if I heard the music now and it fell short? Instead, I have a more complex relationship to it, one which happily shifts: I see it only indistinctly and can project the rest. This unclear, incomplete memory that I imaginarily (quixotically?) complete operates in much the same as any relationship to the archetype – at times it demands full attention, righteously claiming objectivity and at others it is vague, murky even and full of holes.

That weekend with Jesse and David was a blur even when it was happening, and certainly just after, which is why I think I kept coming back to it. It has since crystallized in bits and fragments of situations, bits and fragments that are both real (I suspect) and transformed into more clichés or conventional categories. Three days of tourist attractions have become The balcony where Dave was locked out, The white carpet the hosts' cat had peed all over, The waterbed with KLM-blue sheets that Jesse kissed me on, The microwave I broke when making cheese melts on aluminium foil. The balcony, the carpet, the bed, the microwave. I don't remember any conversations or specific dialogue just words and gestures. Or, rather, varying details of the same scene.

Ada and her Daughters in the Garden
Oil on canvas
188 × 137 cm
2005
Private collection,
the Nederlands
Photography Peter White
Courtesy Maureen Paley, London

Parnassia Beach
Oil on canvas
210 × 414 cm
2005
Saatchi Collection, London
Photography Peter White
Courtesy Maureen Paley, London

The Wedding (still life)
Oil on canvas
97 × 132 cm
2005
Collection Raf Simons, Antwerp
Photography Peter White
Courtesy Galerie Diana Stigter,
Amsterdam

Still Life with Carafe
Oil on canvas
66 × 56 cm
2006
Rabo Art Collection,
the Netherlands
Photography Peter White
Courtesy Maureen Paley, London

The Cyclists
Oil on canvas
176 × 251 cm
2006
Collection Stedelijk Museum,
Amsterdam
Photography Peter White
Courtesy Galerie Diana Stigter,
Amsterdam

m
Oil on canvas
70 × 65 cm
2006
Private collection
Photography Peter White
Courtesy Marc Foxx Gallery,
Los Angeles

Maaike Schoorel in gesprek met Xander Karskens

Haarlem, juni 2008

XK   Schilders hebben doorgaans een 'traditionele' studiopraktijk – terug-
getrokken, afgezonderd, vaak binnen een langzaam proces. Hoe ga jij
te werk?

MS   Bij de meeste schilderijen tref ik een aantal voorbereidingen voordat
ik aan het 'echte' schilderen toekom. Als ik heb besloten welke afbeelding
ik wil gebruiken, prepareer ik de doeken op een specifieke manier. De witte
gesso waar ik de doeken mee bewerk is nooit helemaal wit, maar altijd
getint met een kleur. Aangezien ik veel van het doek zelf laat zien in de
schilderijen is deze kleur belangrijk voor het uiteindelijke beeld. Om de juiste
ondergrondkleur te vinden is het belangrijk dat de kleur wel aanwezig is,
maar niet in competitie gaat met de olieverf van de voorstelling die ik op het
doek aanbreng. In een eerste oogopslag lijken de schilderijen 'wit' of ervaar
je ze misschien als extreem licht. In deze schijnbare leegte of lichtheid,
kun je langzaam maar zeker (door een tijd voor de werken te staan) steeds
meer vormen en kleur en daarmee diepte zien. De ondergrondkleur die
in eerste instantie 'wit' lijkt ontvouwt zich langzaam als een warme tint geel,
oranje of een koeler groen of blauw.
        Tot recentelijk heb ik altijd van foto's gewerkt. Om de voorstelling
van een foto naar het doek te transponeren, doe ik metingen. Niet met een
raster of een projectie, waar veel schilders gebruik van maken, maar met
metingen van specifieke punten op een foto die ik vertaal naar het doek.
Omdat het niet de verhoudingen-precisie van het raster heeft, ontstaat er
een moment waarop het doek zélf ook mee gaat werken, er dingen gebeu-
ren die onvoorspelbaar zijn. Die coördinaten zijn referentiepunten van
waaruit je begint te schilderen: de bovenkant van een schouder, of een
oog. Van daaruit ontstaat de rest van de voorstelling, waarbij de verhouding
tussen leegtes en verf, en kleur en textuur uiteindelijk het belangrijkste
aandachtspunt wordt.
        Elke kunstenaar creëert een 'veilige' omgeving in zijn studio.
Momenteel is het bij mij een enorme chaos. Ik zit in een fase van transitie,
en ik heb dat nodig. Het levert voor mijn gevoel veel op – ik geloof niet dat
je het hoofd leeg moet maken om kunst te produceren. Een zekere mate
van ongeordendheid kan deel van het proces uitmaken.

XK   Hoe ontstaan jouw beelden? Er zijn kunstenaars die beeld bedenken, en kunstenaars die zich baseren op bestaande beelden. Jij maakt foto's, die je als vertrekpunt gebruikt, maar je gebruikt ook 'gevonden' foto's.

MS   Ik heb veel gebruik gemaakt van foto's – van gevonden en zelfgemaakte. Pas recentelijk ben ik gaan experimenteren met het maken van een schilderij zonder enige hulp van een foto. Ik werk nu met beelden uit mijn herinnering of dromen, en ik heb allerlei objecten (gevonden en gemaakte) in mijn studio staan die als basis dienen.

Voor de schilderijen van 2001 tot 2006 zocht ik altijd naar foto's – in mijn eigen (of iemand anders') familie-albums, bijvoorbeeld. Bij *The Cyclists* ben ik uitgegaan van een jeugdfoto van mijn broer: het is een voorstelling waarop je zijn schoolklas ziet tijdens een fietstocht. Ik ben geïnteresseerd in verbindingen – zowel binnen het schilderij tussen verschillende vormen en kleuren, tussen aanwezigheid en leegte, als de verbindingen die het schilderij aangaat met het oorspronkelijke beeld en archetypische categorieën. Toen ik de oorspronkelijke foto voor *The Cyclists* zag, was er meteen de associatie met het klassieke beeld van ridders op paarden, of met een schuttersstuk. Deze foto's ontvouwen het collectieve geheugen, op verschillende manieren. Iedereen kent het beeld van de schoolklas op fietsvakantie, maar iedereen kent ook de 17e eeuwse Hollandse schuttersstukken, die min of meer een blauwdruk van zo'n eigentijdse enscenering zijn. Zo'n schuttersstuk is al in die foto aanwezig, schemert door zo'n beeld heen. Dat vind ik interessant – als zo'n historisch concept uit ons collectieve geheugen doorschemert in iets heel dagelijks – in dit geval een foto van een fietstochtje.

XK   Er is sprake van een ontwikkeling binnen je oeuvre – op een gegeven moment ben je bijvoorbeeld van gevonden beeldmateriaal overgegaan naar het zelf maken van foto's. Voor de serie naakten heb je de modellen zelf gefotografeerd.

MS   Ik heb advertenties geplaatst op internet, en ben zo bij de naaktmodellen terecht gekomen. Ik wilde de modellen in hun eigen omgeving schilderen en ben dus naar hun huis gegaan, waar ik foto's van ze heb gemaakt.

Ik had eerder overwogen een naaktmodel te schilderen in een modelschilderklasje, maar dat was niet wat ik wilde, het model was te cliché in haar pose en de context. Ik wilde heel graag wat met dit klassieke genre doen, maar net zoals met die andere genres die ik gebruik moest ik een persoonlijke band met het onderwerp voelen. Het proces van de zoektocht naar geschikte modellen middels advertenties, en het bij ze thuis opzoeken was daarom belangrijk. Ook wilde ik ze persé in hun eigen omgeving schilderen omdat ik geloof dat daardoor een grotere intimiteit ontstaat – de vertrouwdheid die je met je omgeving voelt vertaalt zich in je gedrag, en je uitstraling. Dat zit ook in de objecten op de schilderijen, die een band onderhouden met de personen. Ze zijn niet onderling uitwisselbaar, maar horen bij elkaar.

XK   Nu ben je zelfs helemaal van het fotografische beeld afgestapt.

MS   Alles draait zich om, als je geen foto's meer gebruikt als basis voor je werk. Er is plots een totale vrijheid waarmee je geconfronteerd wordt. Omdat ik nu bijvoorbeeld dromen aan het schilderen ben merk ik dat het eigenlijk een onderzoek is naar wat 'realiteit' nou precies inhoudt. Wat wil je naar voren halen in een schilderij, wat is belangrijk, waarom maak je bepaalde keuzes? Kunst kan vaak juist ook voortkomen uit vernauwing, niet alleen uit een 'open geest' of iets dergelijks. Totale focus ontstaat bij mij als ik me heel lang met hetzelfde bezighoud, tot het moment dat ik me ergens mee verveel. Picasso heeft ooit gezegd: ik zoek niet, ik vind. Dat is een cliché, maar ik hou van de intenties erachter.

XK   Kun je wat vertellen over je relatie met 'geluid' – je werk wordt vanwege de ijle voorstellingen en het lichte palet vaak in verband gebracht gedempt geluid, met fluisteren. Je bent ook actief als zangeres in de band Skill 7 Stamina 12. Is er een link met de manier waarop je bijvoorbeeld over muziek nadenkt en je stem gebruikt op de Skill 7 Stamina 12-nummers?

MS   Er is een heel nadrukkelijke relatie met geluid in mijn schilderijen. Het idee dat je geluid op verschillende snelheden waarneemt als je naar muziek luistert is een heel belangrijke analogie voor mij – binnen een schilderij komen de kleuren ook in verschillende snelheden naar je toe.

In popmuziek bijvoorbeeld hoor je vaak de stem als eerste boven de instrumenten uit. Binnen het maken van muziek en mijn schilderijen speel ik met die chronologische volgorde van dingen horen of zien. Hoe kijken wij? Wat neem je waar als je naar een beeld kijkt van een karaf? Is het het licht of de kleur die het beeld vormt? En waardoor wordt die hiërarchie bepaald?

Ik schuif met accenten binnen een beeld met behulp van kleur en textuur. Zo kan in een stilleven een rood besje in een bos bloemen juist het eerste zijn wat je opvalt, in plaats van de fonkelende kristallen vaas die ernaast staat. Terwijl ik werk geeft een schilderij op een geven moment aan hoe het beeld gevormd wordt. Hierdoor kan het bijvoorbeeld zo zijn dat een paar bomen in de achtergrond weergeven worden met een paar vegen turkooise in plaats van natuurgetrouw de 'groene' blaadjes te schilderen. In de schilderijen worden niet alleen breekbare details uitgelicht, maar is er vaak ook een duidelijk fysieke aanwezigheid van grote golven verdunde verf die ik over het doek laat lopen.

Bij Skill 7 Stamina 12 zing ik soms heel hoog of juist heel laag, en soms zo snel dat het net een versnelde bandrecorder lijkt. De teksten die ik zing kun je waarnemen als een 'geluid' van hoge en lage octaven. Soms hoor je duidelijk een woord of een zin die je herkent in het Nederlands, of in het Engels. De teksten worden zowel gezongen als gesproken en zijn gebaseerd op gevonden teksten of geheel zelf gemaakte. Ik gebruik bijvoorbeeld de tekst uit het ouderwetse, politiek beladen Nederlandse liedje *Zeven Vlooien*, of ik improviseer een tekst terwijl we opnemen of tijdens een optreden naar aanleiding van een droom of een opgenomen conversatie met een vriendin. De laatste tijd gebruik ik daarnaast ook een Microkorg, een synthesizer waarmee je het stemgeluid kunt verdraaien. De band is structureel vergelijkbaar met een jazzband – omdat alle instrumenten een gelijke rol hebben, soms zing ik bijvoorbeeld een tijd niet en hoor je bijvoorbeeld heel duidelijk de drummer. De manier waarop geluiden binnen muziek interacteren, en ook de ruimte en leegtes die tussen die geluiden voor diepte en dynamiek zorgen, is voor mij een behulpzame manier om over schilderkunst na te denken.

XK   Hoe verhoud jij je tot andere schilders die hun voorstellingen 'verhullen', of de (on)mogelijkheid van de representatie centraal stellen, zoals bijvoorbeeld Gerhard Richter of Luc Tuymans? Voor hen is fotografie essentieel: hun schilderkunst gebruikt niet alleen het fotografische beeld, maar is tegelijkertijd een reactie op het falen van het medium.

Ook bij hen is er sprake van een 'fotografisch effect'. Bij jou is er de associatie met het verschijnen van een Polaroid-beeld, of juist het verdwijnen van het beeld op een vergeelde foto.

MS   Ik heb fotografie gebruikt als hulpmiddel om de schilderijen te maken. Als een soort geheugensteuntje om bepaalde details of aspecten uit een beeld te kunnen halen. De schilderijen zijn geen metafoor voor fotografie. Dat zou suggereren dat de schilderijen een 'trucje' zijn, een schilderkunstige vertaling van een effect uit de fotografie, waarbij de werken precies op de juiste (of niet) grens tussen zichtbaarheid en onzichtbaarheid balanceren, en dat het succes van het werk daarvan afhankelijk is. Bij Richter gebeurt ook veel meer dan alleen het produceren van een 'bewogen foto'. Een geslaagde Richter is meer dan alleen dat, daar opent zich de voorstelling en beweegt alles – voorbij de formele beweging van de bewogen foto. Met 'beweging' bedoel ik dan vooral de verhouding tussen oppervlak, kleur en ruimte, in traditionele schildertechnische zin. De foto is voor mij op een andere manier belangrijk dan Tuymans of Richter, denk ik. Zij exploiteren binnen hun schilderkunst de veranderde manier van kijken die gecreëerd is door fotografie. De foto's waar ik mee werk, zoals een fietstocht of familieportret, kunnen als groepsvoorstelling net zo beladen zijn als een afbeelding van het Belgische koloniale verleden in Congo van Tuymans of de Baader-Meinhof afbeeldingen waar Richter een serie werken over heeft gemaakt. Ik wil juist met dagelijkse voorstellingen werken die refereren aan een archetypisch beeld. Wat ik vooral deel met Richter en Tuymans is de interesse in de relatie tussen de fotografische representatie en het geheugen, en hoe het geheugen omgaat met fotografische beelden – deze aantast, langzaam verandert en soms zelfs vervangt.

XK   Hoe voltrekt zich dat op het formele niveau van het schilderij zélf?

MS   In mijn werk haal ik expliciet bepaalde details van een archetypisch beeld naar voren (of zet ik iets juist meer op de achtergrond of laat stukken leeg) waardoor de hiërarchie van kijken uit balans wordt gehaald. Met een hiërarchie van waarnemen bedoel ik zoals een striptekenaar een wijnglas zou weergeven: eerst wordt het glas zelf omlijnd, dan de rand tot waar de wijn in het glas zit en dan een reflectie van het licht dat op het glas valt. In mijn werk speel ik met die hiërarchie door nadruk te leggen op een curve in het wijnglas, om het precies over dát specifieke glas te hebben. Dit proces wordt langzaam opgebouwd uit meerdere lagen verf, vaak met extreem veel terpentine. Sommige details, zoals in de recente naakten, zet ik juist aan met epoxyhars om het te verdikken. De textuurverschillen binnen het doek worden dan vergroot. In een schilderij van een naaktmodel op haar bed bijvoorbeeld, springt het patroon en kleur van een dekbed meer in het oog dan het model zelf. Naast dat ik veel naar oude meesters kijk, zoals Vermeer, is mijn werk ook geïnformeerd door abstracte kunst – in eerste instantie zie je in mijn schilderijen vaak alleen maar kleurvlekken en contouren op een schijnbaar bijna leeg doek. Wat zorgt ervoor dat een doek in beweging komt? Een beeld vormt? Uit de vlekken vormt zich langzaam een beeld. Veel schilderijen verhouden zich in hun afmetingen bovendien min of meer tot de werkelijkheid; om de ervaring te benadrukken dat het is alsof je bij de modellen in een kamer bent, of zelf op het strand van Parnassia staat.

XK   Hoe verhoudt jouw werk zich tot bijvoorbeeld het 'trage' werk van De Rijke/De Rooij? Zij gebruiken een ander medium (film), maar jouw schilderijen hebben nadrukkelijk ook een temporele component, een 'bestaan in de tijd'. Net als de films van De Rijke/De Rooij dwingen ze de kijker tot zorgvuldig kijken. Job Koelewijn blindeerde zichzelf ooit tijdens zijn academietijd voor dagen achtereen ('visueel vasten', noemde hij dat), om vervolgens een verhoogde intensiteit van de waarneming te voelen, 'opnieuw te kijken'. Staat jouw omgang met beeldreductie en traagheid in deze traditie, die je misschien typisch Nederlands kunt noemen?

MS   Dat langzame is een centraal aspect in mijn werk – het vertragen van de blik en het intensiveren van de waarneming. Zoals ik dat ook bij De Rijke/De Rooij zie, gaat het in mijn schilderijen niet zozeer om een reductionistische strategie als zodanig, als wel om het benadrukken van de nuances die wél kunnen worden waargenomen, met het verstrijken van de tijd als dominante factor waarbinnen het kijkproces zich langzaam ontvouwt. De nadruk komt hierdoor te liggen op de *ervaring* van het kijken naar de schilderijen. Je kunt het werk alleen waarnemen als je ervoor staat, het wordt moeilijker in reproductie. De afgelopen jaren is het voor mij interessant geweest te zien hoe moeilijk het is om de schilderijen te reproduceren – in reproductie zie je vaak alleen maar letterlijk een paar 'vlekken' en bijna niets van wat het werk nou eigenlijk activeert. Ik denk dat de consequentie hiervan is dat het de directe fysieke waarneming tussen de toeschouwer en het schilderij benadrukte. In deze publicatie zie ik de tekst en ander beeldmateriaal die bijdragen tot het maken van de schilderijen als een essentieel onderdeel om het werk in een boekvorm te laten zien. Een kunstenaar als Tino Sehgal laat ook de ervaring van een kunstwerk centraal staan. De performances die hij door kinderen laat uitvoeren zijn niet vast te leggen of te reproduceren, slechts alleen als beschrijving.

XK   Als vervolg op de vorige vraag: Ik heb het idee dat je werk een radicale positie inneemt in de hedendaagse beeldcultuur. Dat het als reactie op alle snelle, dunne beelden die we consumeren zand in de motor van de beeldenmachine gooit, door het 'langzaam kijken' centraal te stellen.

MS   Ik heb zelf die positionering altijd behoorlijk problematisch gevonden. Het is absoluut niet zo dat mijn werk moet functioneren als medicijn tegen de vervlakking. Een dergelijke morele uitspraak zit niet in de schilderijen opgesloten. Ik ben me natuurlijk bewust van de ontwikkelingen in de mogelijkheden beeld te produceren en reproduceren, en van de versnelling die de digitale technieken en internet hebben gecreëerd. Mijn generatie heeft zich natuurlijk moeten aanpassen aan deze situatie. Juist vanwege de enorm toegenomen toegankelijkheid en alomtegenwoordigheid van beeldinformatie zijn de keuzemogelijkheden voor een kunstenaar om zich tot de wereld te verhouden vergroot, en dat is iets wat ik positief waardeer. Ik probeer die ontwikkeling niet om te keren of op te lossen (zelfs als ik dit zou willen, zou dit niet eens mogelijk zijn!), of te frustreren. Maar ik probeer wel een ruimte te creëren voor een pauze – een onderbreking, een nadenken over, een reflectie. Door herkenbare dagelijkse beelden te gebruiken hoop ik de aandacht van de kijker te trekken om naar mijn ongebruikelijke omgang met verf te kijken. Zodat er niet gekeken wordt naar bijvoorbeeld een afbeelding van een bed, maar dat de nadruk ligt op de ervaring van het zien van een bed.

XK   Je bent op andere dingen gaan letten in de loop der jaren, of in ieder geval de bronbeelden anders gaan uitwerken: als je groepsportretten als *The Family* en *The Cyclists* vergelijkt, zie je bij het eerste werk veel ingevulder gezichten bijvoorbeeld – bij *The Cyclists* zijn alleen de contouren weergegeven.

MS   Het heeft veel te maken met het feit dat ik in staat ben om steeds 'losser' te werken. In mijn eerdere werk is de opvatting dat de voorstelling zo dicht mogelijk bij de foto moet liggen, veel heersender dan bij recent werk. Daarin ben ik steeds verder gegaan in het oplossen van de oorspronkelijke foto in het schilderij zélf. Je kunt denken 'Ik moet twee ogen schilderen, want anders klopt het niet meer', maar ik vind dat niet zo interessant: als de suggestie van dat tweede oog er maar is. De nadruk moet liggen op de textuur en kleurverschillen die het uiteindelijke beeld bepalen.

In de meer recente werken, zoals de serie naakten bijvoorbeeld, ben ik meer verschillende beeldlagen gaan aanbrengen – zelfs in de schaduwen of bijna-leegtes. Ik ben ook letterlijk meer textuur gaan aanbrengen door epoxyhars in de verf te mengen, alhoewel sommige meer recente schilderijen juist overkomen alsof ze sterker gereduceerd zijn. Als kijker heb je minder snel de vanzelfsprekende ankerpunten in de voorstelling te pakken (bijvoorbeeld de twee ogen, die een gezicht meteen tot een gezicht maken en je het schilderij in trekken). In deze werken liggen de ankerpunten op bijvoorbeeld de ronding van een heup of een kleur in de achtergrond. Ik vind de mate van leesbaarheid hierin niet zo belangrijk. Het idee dat een voorstelling geslaagd is wanneer hij herkenbaar is als de precieze afbeelding waarvan ik gewerkt heb, doet niet zo ter zake. Het werk nodigt de kijker uit het schilderij in gedachten af te maken. Dit proces zal voor elk individu net iets anders zijn, met alle onzekerheden die in een proces van kijken besloten liggen. Hopelijk zal de toeschouwer niet alleen een verbinding tot stand brengen met een afbeelding of een plaatje, maar met een gevoel dat in het beeld besloten ligt.

Structuur van een archetype
Maxine Kopsa

Het was twaalf uur afgelopen zondag en ik zat nog steeds in bed, de laptop op schoot en een tweede kop koffie achter de kiezen. In plaats van over Maaike Schoorels schilderijen te schrijven, was ik Jesse Portmann – die ik al minstens acht jaar niet had gezien of gesproken – aan het schrijven. Ik vroeg hem over de band die hij jaren geleden bij mij had geïntroduceerd. Het cassettebandje dat hij mij toen had gegeven moet ik dag en nacht hebben gedraaid. Ik speelde het voor vrienden, elke keer dat iemand langskwam. Ik herinner me dat ik alle twaalf liedjes mee kon zingen, en dat iedereen het prachtig vond omdat het zo zijdezacht en diep en cool en bluesy klonk. Het eerste nummer klinkt bijna in mijn hoofd…als ik mij er maar niet op concentreer…en de naam van de band ligt op het puntje van mijn tong…als ik er maar niet rechtstreeks aandacht aan besteed…'groove', 'tune', misschien 'brother', 'two brothers'?…Ik zie het vaag voor me, en dan glipt het weer weg.

Ik heb Jesse voor het eerst via David ontmoet, toen David en Jesse door Europa aan het trekken waren en ik daar al heen was verhuisd. Ik wist al van zijn bestaan af: hij was ook bevriend met andere goede vrienden van mij – meer in het bijzonder met Gwyn, die alleen maar geweldige vrienden had. Dus je zou ons kennissen kunnen noemen, verbonden door kleine stukjes informatie over gemeenschappelijke vrienden en de beschrijvingen van gezellige avonden. Hij was al als een herinnering voor mij voor wij elkaar ontmoet hadden. En natuurlijk zei ik oké toen David vroeg of zij bij mij konden logeren tijdens hun zomerreis. Ik beloofde dat ik ze een rondleiding zou geven door een stad die ik zelf nauwelijks kende. Ik denk dat ik mijn vale blauwe spijkerbroek droeg toen ik ze op ging halen – veel te licht – en ik weet nog dat het warm was, maar niet zonnig. Ik zie mijn voeten voor mij toen ik over de stoep op ze af liep – de leren bandjes van mijn blauwe geweven sandalen – en ik herinner mij nog steeds hun twee lijven: te groot voor Europa op een of andere manier – te hoekig. Ik weet nog dat ik mijn arm om Dave's nek gooide, en dat ik me toen naar Jesse richtte. Ik zie zijn glimlach voor mij. En ik voel opeens hoe hij zijn arm om mijn onderrug slaat terwijl hij me aanhaalt, hij rukt mij bijna naar zich toe om me een kus op mijn wang te geven. Ik beweeg mij van hem af en hij kijkt mij nog steeds aan en laat niet los. Alsof we alleen zijn of in een bar en we al uren aan het kletsen en glimlachen en knipogen en rond elkaar aan het huppelen zijn. Ik kan Dave niet langer in mijn ooghoek zien – waar hij toch moet zijn –

maar ik kan hem horen vragen 'waar zullen we nu naartoe gaan?' met een stem waaruit blijkt dat hij geen enkel vermoeden heeft van wat er zich net tussen mij en zijn vriend heeft afgespeeld. Eigenlijk zie ik helemaal niets meer behalve Jesse's stralende, duivelse grijns en zijn neus en zijn bruine ogen en zijn stoppelbaard. En opeens is het alsof ik net zo'n *jet lag* heb als zij: een vernauwd bewustzijn, slaperig, warm, min of meer op de plek aangekomen, geland maar vreemd.

Ik bied dus mijn excuses aan voor deze uitweiding, zowel toen als nu. Ik werd gegrepen, in vervoering gebracht, en ik zweer je dat elke keer dat ik mijn ogen dicht deed en probeerde na te denken over schilderen en witheid en de tentoonstelling, ik maar stukjes van die zomer bleef zien. Een mengeling van het absoluut specifieke en van fragmenten. Maar zonder dat overbodige gedeelte daartussenin.

Misschien is dat wel waarom mijn gedachten steeds weer terugkwamen op Jesse toen ik iets probeerde te schrijven – iets over fragmenten en het overslaan van overbodig materiaal. Maaike Schoorels schilderijen hebben dat effect denk ik – ze beschrijven zo'n soort beweging door een scène. Vaak levensgroot, klampen ze zich vast aan delen, contouren, hoeken, een knie en – belangrijk – de lege ruimte daartussenin. Wat je niet kunt identificeren – wat aanvankelijk wit lijkt – is de geleidende ruimte waar voorwerpen, die delen van een herinnering die in kleur zijn – in rondzweven. Bestaat een glas uit de kleur van de wijn waarmee het gevuld is of uit het licht dat van zijn oppervlak weerkaatst?

Ik heb met Maaike gesproken over de schilderijen die zij van plan was te laten zien en de schilderijen voor de tentoonstelling waar zij nog steeds mee bezig was. Zij had het over 'structuur'. Hoe een schilderij laat zien hoe men een situatie beschouwt, observeert of *bezoekt*, niet door het afbeelden van losse entiteiten (zelfs niet mensen), maar door een structuur die ze onzichtbaar verbindt. Het is deze 'structuur' die ze maakt wat ze zijn, vertelde ze. 'Je moet je voor de geest halen wat een hoofd anders maakt dan een trui – wat maakt de ene entiteit een hoofd en de ander een trui?' We hebben het hier duidelijk over het afbeelden, over hoe een vorm hetgeen wordt wat het moet voorstellen op het doek. Maar cruciaal genoeg hebben we het ook over waarneming, over hoe je de dingen in werkelijkheid om je heen ziet en hoe een vorm op je af komt op het doek, in beeldende zin. Zij legt bijvoorbeeld uit hoe *zijn* trui bestaat uit drie lijnen

48

die de vorm van zijn gebogen arm aftekenen terwijl *haar* hoofd wordt gesuggereerd door het golven van haar bruine haar. 'Maar als jij een trui anders ziet dan ik, of haar in jouw beleving door een andere soort golf wordt verbeeld, dan zien we misschien twee verschillende plaatjes.' Neem *The Cyclists*, een portret van een groep mensen die halt houden in een bosrijke omgeving tijdens een dagje uit. Ze staan poserend met hun fietsen in een halve cirkel. 'Ik kan je dit zeggen,' zei Maaike, 'Ik kan je precies vertellen wie wie is en wat ze aanhebben, maar het gaat er niet om hoeveel mensen je ziet, of hoeveel je kunt *identificeren* – het gaat om de verbindingen tussen hen.' In deze zin vertegenwoordigt de 'structuur' – oftewel wat een voorwerp een voorwerp maakt, een situatie een situatie – een meer volwaardig, meer compleet niveau van afbeelden. Ik weet niet of ik ook 'meer waarachtig' aan dit rijtje kan toevoegen (als in een waarachtiger niveau van afbeelden), maar misschien is 'vangen' wel een beter woord dan 'afbeelden'. Het gaat om het 'vangen' van een ding, een persoon, een situatie in zowel zijn concrete als zijn symbolische vorm. Want zonder twijfel draait het in Schoorels afbeeldingen om emotie, eerder dan een of andere rechttoe, rechtaan naturalisme.

Ik las ergens dat Schoorels werk kon worden gezien als 'zich verzettend tegen een wereld van lawaai, excessen, prikkels'[1]; ergens anders dat het 'zachtjes lijkt te fluisteren', en in weer een ander artikel dat het in zijn benadering een 'gevoeligheid', een 'delicaatheid', laat zien. Ik begrijp dat wel: ik snap dat haar werk, ondanks de opvallende materialiteit ervan, lichtvoetig en delicaat en zachtmoedig lijkt, om de eenvoudige reden dat zoveel van de werken meer wit dan niet-wit hebben en schijnbaar weinig details prijsgeven. Ze maken een verstilde, zelfs langzame, indruk. En het is waar: op een bepaalde manier zijn de schilderijen nogal langzaam, en vele vergelijkbare beschrijvende termen zouden ook kunnen worden toegepast (zoals teer en gevoelig en 'uitgebleekt'), maar om het werk alleen in die termen te beschouwen gaat voorbij aan zijn meest essentiële uitgangspunt, namelijk dat van het archetype. In al haar werken tot nu toe heeft Schoorel zich bezig gehouden met de vorming van archetypen, hetzij door ze nog eens onder handen te nemen, hetzij door ze te herformuleren.

1   Martin Herbert, *Frieze*, N°116, juni/juli/augustus 2008

Wij leren over het algemeen de regels of conventies van sociale interactie door wat wij zien, door wat wij meemaken, en op deze manier worden het archetypen voor ons. We weten hoe 'feestje', 'wijn' en 'dochter' eruit zien omdat wij ze herhaaldelijk hebben gezien. Meer specifiek op het kunsthistorisch vlak weten wij wat 'het stilleven', 'het portret' en 'het naakt' inhouden, omdat zij zo vaak opnieuw in behandeling worden genomen. Schoorels werken 'bestrijken' zulke traditionele sociale conventies en schilderkunstige genres. Door expliciet te verwijzen naar deze categorieën bevraagt ze het archetype en positioneert ze zichzelf tegelijkertijd op kritische wijze binnen de gevestigde historische kaders van de schilderkunst.

Maar Schoorels expliciete verwijzingen naar het archetype stellen haar niet alleen in staat om haar eigen standpunt vast te stellen, ze zijn ook een gulle uitnodiging aan de toeschouwer om hetzelfde te doen. Schoorel gebruikt deze categorieën van beeldende kennis om de toeschouwer bij de hand te nemen en hem langs wat hij al weet te leiden. Op het allerlaatste echter trekt zij zich terug, wist de onnodige stukken uit en laat slechts brokjes en fragmenten achter, zodat de toeschouwer alleen achterblijft om zijn relatie ten opzicht van deze archetypes te bepalen. Wat betekent een verjaardag voor jou (*Birthday*, 2004)? Of een bruiloft (*The Wedding (still life)*, 2005)? Wat houdt een portret van iemand die Ada heet en haar dochters voor jou in? Het zal niet consistent zijn, onafhankelijk van jouw persoonlijke antwoorden. Wanneer je dit werk beschouwt, zal je de ene keer meer zien dan de andere: je wordt misschien aan je vrienden herinnerd, een fietstocht, een diner. Of je denkt aan het portretgenre in het algemeen, en vraagt je af of jij het type familie hebt dat zou willen lijken op die van Ada.

Als wij dit uitgangspunt naar zijn logische conclusie doortrekken, zouden wij kunnen zeggen dat Schoorels werk zich bezighoudt met het codificeren van relaties – relaties tussen mensen en tussen mensen en dingen – wat suggereert dat het leven voornamelijk en wellicht zuiver bestaat uit deze relaties en onze beleving ervan. Maar deze relaties zijn nooit zuiver gedefinieerd, en als ze dat wel zijn, slechts voor tijdelijk. Ik kan nog steeds niet op de naam van die band komen, en als ik er wel op kwam zou dit mij wel eens geen cent gelukkiger kunnen maken – wat als ik hun muziek nu zou horen en het valt tegen? In plaats daarvan heb ik er een veel complexere relatie mee, één die blijmoedig heen en weer schuift: ik neem het slechts vaag waar en kan de rest projecteren. Deze obscure, incomplete werking van het geheugen die ik in mijn verbeelding aanvul, werkt min of meer hetzelfde als elke andere relatie tot het archetype – soms eist het jouw aandacht volledig op en laat zich terecht voorstaan op objectiviteit, op andere momenten is het vaag, troebel en zelfs vol met gaten.

Tijdens dat weekend met Jesse en David vonden de gebeurtenissen op het moment zelf al in een waas plaats, en zeker daarna – en dat is waarom ik er denk ik steeds op terugkom. Het heeft zich sindsdien gekristalliseerd in stukjes en fragmenten van situaties, stukjes en fragmenten die zowel echt zijn (vermoed ik althans) als getransformeerd in meer clichés of conventionele categorieën. Drie dagen vol toeristische attracties werden 'het balkon waar Dave zich buitensloot', 'het witte tapijt dat de kat van de gastheren had volgeplast', 'het waterbed met KLM-blauwe lakens waar Jesse mij op kuste', 'de magnetron die ik kapot maakte toen ik *cheese melts* op een stuk aluminiumfolie maakte'. Het balkon, the tapijt, het bed, de magnetron. Ik kan mij geen gesprekken of specifieke dialogen herinneren, enkel woorden en gebaren. Of liever gezegd, zich afwisselende details van één en dezelfde scene.

Imogen
Oil on canvas
85 × 70 cm
2007
Rabo Art Collection,
the Netherlands
Photography Peter White
Courtesy Marc Foxx Gallery,
Los Angeles

Jemima in her Bedroom
Oil on canvas
190 × 150 cm
2008
Private collection, France
Photography Alex Delfanne
Courtesy Maureen Paley, London

Emma-Louise on her Bed
Oil on canvas
135 × 186 cm
2008
Collection Mario Testino, London
Photography Alex Delfanne
Courtesy Maureen Paley, London

Katherine
Oil on canvas
50 × 60 cm
2008
Private collection, Ireland
Photography Alex Delfanne
Courtesy Maureen Paley, London

Emma-Louise from Above
Oil on canvas
145 × 110 cm
2008
Collection Museum of Old
and New Art, Australia
Photography Alex Delfanne
Courtesy Maureen Paley, London

Biography Biografie

Born in geboren **1973**, **Santpoort**, the Netherlands Nederland
Lives and works in London and Amsterdam Woont en werkt in Londen en
Amsterdam

Education Opleiding
2001   MA, Royal College of Art, London
1998   BA, Gerrit Rietveld Academie, Amsterdam
1997   Michaelis School of Fine Art, Cape Town

Solo exhibitions Solotentoonstellingen
2009   Marc Foxx Gallery, Los Angeles
         Galerie Diana Stigter, Amsterdam
2008   *Album*, De Hallen, Haarlem
         Nudes, Maureen Paley, London
2007   *Stilleven, Portret, Schutterstuk*, Marc Foxx: West Gallery,
             Los Angeles
2006   *Bathing dining garden father daughters beach bed*, Maureen Paley,
             London
2004   Galerie Diana Stigter, Rheinschau, Cologne
         Twilight, Galerie Diana Stigter, Amsterdam
2002   *Darling Buds*, Galerie Diana Stigter, Amsterdam

Group shows (selection) Groepstentoonstellingen (selectie)
2008   *Wolvecampprijs*, Hengelo
         Group show with Roger Hiorns and Christina Mackie,
             Galerie Diana Stigter, Amsterdam
         Eyes Wide Open – New to the Collection, Stedelijk Museum,
             Amsterdam
         Nonknowledge, Project Arts Centre, Dublin
2007   *Prix de Rome 2007*, De Appel, Amsterdam
         How to Endure (curator: Tom Morton), Athens Biennial, Athens
         Very Abstract and Hyper Figurative (curator: Jens Hoffmann),
             Thomas Dane Gallery, London

Zes (curator: Marc Foxx), Marc Foxx Gallery, Los Angeles/
       Harris Lieberman, New York
2006 *Just in Time* (curator: Maxine Kopsa), Stedelijk Museum,
       Amsterdam
      Le Nouveau Siècle (curator: Xander Karskens),
       Museum van Loon, Amsterdam
      Vincent van Gogh and Expressionism, Van Gogh Museum,
       Amsterdam
2005 *Group Show with Alex Bircken & Mari Eastman*,
       Maureen Paley, London
      Slow Art, Museum Kunst Palast, Düsseldorf
      Prague Biennale 2, presentation for Flash Art, Prague
      Group show with Nathaniel Mellors, IBID Projects, Vilnius, London
2004 *Must I Paint You a Picture?* (curator: Pablo Lafuente),
       Haunch of Venison, London
      Concert in the Egg, The Ship, London
2003 *Someplace Unreachable*, IBID Projects, London
      To Avoid the Void, Artwalk, Amsterdam
2002 Koninklijke Subsidie voor Vrije Schilderkunst, Gemeentemuseum,
       The Hague
      Band in Crisis, (with Skill 7 Stamina 12), Cooper Gallery, Dundee
      Deliberate Regression, Daniel Arnaud Gallery, London
      And Other Love Stories, Galerie Diana Stigter, Amsterdam
2001 *An Elephant Station*, Vilma Gold, London

Bibliography Bibliografie

Articles (selection) Artikelen (selectie)

2008 Den Hartog Jager, Hans, 'Aanschurken tegen het midden',
      NRC Handelsblad, 28.2.2008, p. 28

      Herbert, Martin, 'Maaike Schoorel', *Frieze*, June 2008, pp. 228–229

      Finel Honigman, Ana, 'A whiter shade of pale', *style.com*, 4.3.2008

      Exley, Roy, 'Maaike Schoorel', *Flash Art*, May/June 2008

2007 Alemani, Cecilia, 'Critics' Picks: How to Endure', *Artforum.com*,
      4.10.2007

      Brooks, Amra, 'Must See Art: Maaike Schoorel at Marc Foxx',
      LA Times, 19.1.2007

      Coomer, Martin, 'Very Abstract and Hyper Figurative',
      Modern Painters, June 2007, pp. 114–115

      Griffin, Jonathan, 'Very Abstract and Hyper Figurative', *Frieze*,
      May 2007, p. 157

      de Jongh, Xandra, 'Prix de Rome: de longlist, Maaike Schoorel',
      Kunstbeeld, June 2007, p. 5

      Lafuente, Pablo, 'Maaike Schoorel: Magic Eyes', *Flash Art*,
      March/April 2007, pp. 110–111

2006 Commandeur, Ingrid, 'Bathing Dining Garden Father Daughters
      Beach Bed: Maaike Schoorel's Shadow Play', *Metropolis M*
      N° 6, December/January 2006/07, pp. 92–94

      Finel Honigman, Ana, 'London Horticulture', *Artnet Magazine*

      Keijer, Kees, 'Kunstkopen: Voorstellen aan gemeente in het
      Stedelijk', *Het Parool*, 2.12.2006, pp. 32–33

      'Top 100 Artists', *Flash Art*, October 2006, pp. 68–69

2005 Gill, AA, 'It's Art', *The Sunday Times Magazine*, 9.1.2005

      Grainger, Lisa, 'Meet at the Fair', *Sunday Times Style*, 16.10.2005

      Heingartner, Douglas, 'Maaike Schoorel', *Flash Art*,
      January/February 2005, p. 120–121

      Sholis, Brian, 'Alex Bircken, Mari Eastman and Maaike Schoorel',
      artforum.com, May 2005

      Thornton, Sarah, 'The Power 100', *Art Review*, November 2005,
      p. 101

'Must I Paint You a Picture?', *Time Out London*, 12.1.2005

2004 Burnett, Craig, 'Must I Paint You a Picture?' *The Guardian Guide*,
4.12.2004

de Vries, Marina, 'Tekenen en Schilderen zijn terug', *de Volkskrant*,
8.9.2004

Keijer, Kees, 'Knalhard of Subtiel: de schilderskunst is terug',
Het Parool, 1.9.2004

Nebelung, Sigrig, 'Entdeckungen auf der Rheinschau',
Handelsblatt, 29.10.2004

Tepel, Oliver, 'Popauswege Last Exit Avantgarde, Maaike Schoorel',
Spex, December 2004

2003 Glover, Michael, 'Rising to Painting's Challenge', *The Independent*,
6.1.2003

Monshouwer, Saskia, 'Maaike Schoorel', *Kunstbeeld*,
February 2003

'Someplace Unreachable', *Kunstforum*, 2003

2002 Exley, Roy, 'London: Danielle Arnaud Gallery', *Contemporary*,
November 2002

Reinders, Arjan, 'Alles kan weer in de schilderskunst', *Het Parool*,
18.10.2002

Smith, Dan, 'Deliberate Regression', *Art Monthly*, November 2002

Catalogues Catalogi

2008 Wolvecampprijs, Hengelo
2007 *Destroy Athens*, 1st Athens Biennial, Athens
Frieze Art Fair Yearbook 2007/2008, Frieze, London
Prix de Rome, Rijks Akademie, Amsterdam
Very Abstract and Hyper Figurative, Thomas Dane Gallery, London
2006 *Just in Time*, Stedelijk Museum, Amsterdam
Le Nouveau Siècle, Museum Van Loon, Amsterdam
2005 *The Triumph of Painting*, Saatchi Gallery, London
Prague Bienniale 2, Flash Art, Milan
2004 *Rheinschau art Cologne Projects*, Cologne
Uitgelicht 2004, Fonds voor Beeldende Kunsten, Amsterdam
2002 *Deliberate Regression*, Danielle Arnaud Gallery, London

Colophon Colofon

Texts Tekst	Xander Karskens, Maxine Kopsa
Design Ontwerp	Julia Born & Laurenz Brunner
Assistance Assistentie	Christopher West
Translation Vertaling	Willem Kramer
Lithography Lithografie	Calff & Meischke, Colorset, Amsterdam
Printing Drukwerk	Calff & Meischke, Amsterdam
Editing Redactie	Xander Karskens
Proofreading Tekstredactie	Cathelijne Dapiran
Photography Fotografie	Alex Delfanne, Edo Kuipers, Maaike Schoorel, Peter White
Edition Oplage	1000

Album was published alongside the eponymously titled exhibition at
Album verscheen bij de gelijknamige tentoonstelling in De Hallen Haarlem,
13 September – 23 November 2008.

Special thanks to Met bijzondere dank aan Xander Karskens and the staff
at De Hallen Haarlem, Maxine Kopsa, Laurenz Brunner, Julia Born,
Christopher West, Freek Kuin, Fonds BKVB, Maureen Paley, Marc Foxx,
Rodney Hill, Diana Stigter, David van Doesburg, Jade van Doesburg,
Susanna Chisholm, Oliver Evans, Katie Guggenheim, Patrick Shier, Mark
Barker, Andrew Miller, Lia Trinka-Browner, Cintia Jordens, Elisa Svelgren,
my family, Tom Morton, miss Ypie, Laura Lord, Pernilla Holmes, Christina
Mackie, Roger Hiorns, Bernadette van Boxel, Bert Schmitz, Alexis
Marguerite Teplin, Rannva Kunoy, Michael Raedecker, the nude models
(Monica, Emma-Louise, Gemima, Katherine, Niaomh), Gerard Stigter,
Philippa van Loon, Tonko Grever, Holvast family, Katie Morton,
Naomi Reynolds, Skill 7 Stamina 12 (Dan Fox, Nathaniel Mellors,
Ashley Marlowe), Rose Shakinovsky, Claire Gavronsky, Polly Braden

Publisher Uitgever
Veenman Publishers/Gijs Stork
Sevillaweg 140
3047 AL Rotterdam-NL
T +31 10 245 3333
F +31 10 245 3344
info@veenmanpublishers.com
www.veenmanpublishers.com

ISBN 978-90-8690-177-7

Distribution Distributie
D.A.P.
155, Sixth Avenue, 2nd floor
New York, NY 10013, USA
T +1 212 627 1999
dap@dapinc.com

Exhibitions International
Art & illustrated books
Kol. Begaultlaan 17
B-3012 Leuven
Belgium
T +32 016 296 900
orders@exhibitionsinternational.be
www.exhibitionsinternational.be

vice versa Vertrieb
Immanuelkirchstrasse 12
D-10405 Berlin
Deutschland
T +49 30 6160 9236
F +49 30 6160 9238
info@vice-versa-vertrieb.de
www.vice-versa-vertrieb.de

This publication was made possible by Deze publicatie werd mede mogelijk
gemaakt door Fonds BKVB; Marc Foxx Gallery, Los Angeles; Maureen
Paley, London; Galerie Diana Stigter, Amsterdam; De Hallen Haarlem

Next spread Volgende pagina's *Bathing dining garden father daughters
beach bed*, installation view tentoonstellingsoverzicht, Maureen Paley,
London 2006, Photography Peter White